GILBERT DELAHAYE
MARCEL MARLIER

martine

embellit son jardin

casterman

Le papa de Martine vient d'acheter une maison à la campagne. Pour y arriver, il faut passer le pont sur la rivière et tourner à droite.

Devant la maison, il y a un grand jardin. L'herbe a poussé haut. Le puits est envahi par le lierre et la mousse.

Il faut tondre la haie, planter les fleurs pour le printemps, épandre le gravier devant la barrière et ratisser les allées. Déjà, Martine et Jean se sont mis au travail.

MARLIER

À quoi sert la serfouette ?
– C'est pour arracher les mauvaises herbes. Ensuite, nous les brûlerons. Papa dit que si on les laisse pousser, elles étoufferont la bonne graine.

– Je vais mettre les vieux gants de maman pour enlever les orties. Ainsi elles ne me piqueront pas.

– Maintenant, réparons la rocaille.
Il faudrait placer quelques pierres ici.
– N'est-ce pas joli ? dit Jean occupé à disposer des pas japonais dans le gazon. Après cela, nous planterons des perce-neige, des jonquilles, des narcisses et les crocus que maman nous a donnés.

Jean est monté sur la brouette.

– Que fais-tu là ? demande Martine.

– Tu vois, je taille un if.

– Qu'il est drôle ! Il ressemble à Patapouf.

– C'est une surprise, pardi ! Regarde Patapouf. Comme il est fier !

Le gazon a été roussi par le soleil.
– Il reste encore un sac de graines à la remise, dit Martine.
– Courons le chercher et semons les graines.
Qui sera surpris quand le gazon poussera bien vert ? C'est papa.

Le gazon semé, il faut rouler la terre pour qu'il prenne racines.

– Cela ferait bien s’il y avait quelques fleurs auprès du vieux puits.

– J’ai une idée, dit Martine. Allons chercher de la terre.

– Pourquoi ?

– Pour dresser une corbeille. Nous y planterons des tulipes, des pensées, des salvias.

On se met à l’ouvrage.

– Oh là, voici que la brouette s’enfonce ! Que faire ?

– Mettons une planche et des cailloux.

Au fond du jardin, coule un ruisseau.

– Dressons un barrage, dit Martine. L'eau va monter. Nous aménagerons un étang avec une cascade.

– Ici nous ferons une crique de sable.

– Crois-tu que nous pourrons pêcher des truites entre les nénuphars ?

– Bien sûr que non ! Les truites vivent dans les rivières où le courant est rapide.

– Alors nous achèterons des poissons rouges et nous les mettrons dans notre étang.

– On pourrait aussi élever des canards, si papa veut bien en acheter quelques-uns, dit Jean.

Où va-t-on placer le petit sapin que le pépiniériste a donné au papa de Martine ?
Là, près du mur, il sera bien à l'abri de la neige quand viendra l'hiver.
Mais non, il va grandir, il lui faudra de la place. Ce sera un joli sapin bleu. Il ne craindra ni le froid ni le vent.
Et quand le lilas perdra toutes ses feuilles, le sapin de Martine sera toujours aussi beau.
Plantons-le au milieu du jardin et tassons la terre pour qu'il pousse bien droit.

Cette année, l'hiver est en avance. Toute la nuit, la neige est tombée. Balayons la terrasse. Dégageons le chemin.

Quand revient le printemps, on dirait que tout est neuf dans le jardin.
Entre les rocailles, les perce-neige agitent leurs clochettes.
Les crocus ouvrent leur calice. Les jonquilles, les narcisses, les tulipes, tout fleurit en même temps.
Tiens, voici le premier papillon. Il va, il vient. Il voudrait se poser sur toutes les fleurs à la fois…

Il y a si longtemps qu'il rêve de s'envoler dans le jardin de Martine !
Sur le bord du chemin, la fourmi sort de son trou. Elle court à droite, à gauche. Vous pensez qu'une fourmi n'a rien à faire ?
Le merle siffle. Patapouf fait des cabrioles. Le chat du voisin sent bon la menthe et le thym. Tout le monde a le cœur en fête.
Mais que d'ouvrage dans le jardin !…
– D'abord, se dit Martine, nous allons sortir de la remise la table en fer et les chaises pour les mettre sur la terrasse.

– Oui, mais il faut repeindre la table !…
– Voici un pot de peinture blanche.
Pendant que Jean prépare la peinture, Martine est allée chercher le parasol, les chaises en fer forgé et aussi le cheval de bois pour le petit frère.
Sur la terrasse, il y a une jolie glycine.
C’est un endroit agréable pour jouer quand il fait beau.

Sur la pelouse, on a placé la brouette avec les géraniums.
– À présent, je vais tondre le gazon, dit Jean.
– Justement, papa vient de régler les couteaux de la tondeuse.
– Que fera-t-on quand l'herbe sera coupée ?
– Je la ramasserai avec le râteau.
– Nous en ferons un grand tas et nous la mettrons dans le panier… On pourrait en donner aux lapins du fermier.
– Papa sera bien content quand il verra le travail terminé.

L'été, le soleil brûle. La terre devient dure. Les insectes vont se cacher sous les pierres… sauf le lézard et le papillon.

Entre les rocailles, les cactus dressent leurs épines.

– Regarde celui-ci, comme il a une forme bizarre ! Il est sûrement malade de chaleur !

– Mais non, il se plaît au soleil. Il paraît qu'il y en a de grands comme ça dans les pays chauds.

Mettons des galets autour des cactus. Cela fera très joli.

Les fleurs ont soif.

– Vite, il faut les arroser, dit Martine.

Comme c'est agréable d'arroser les fleurs ! On dirait qu'elles parlent :

– Ne m'oubliez pas, dit le myosotis.

– Merci, merci, fait la rose trémière.

Elles sont si jolies, les fleurs, dans la rosée du matin !
Les pensées vous regardent avec leurs yeux de velours. Le muflier attend son amie l'abeille. La reine-marguerite vous dit « bonjour, bonjour » sur la pointe des pieds. « Cueillez-moi, cueillez-moi », fait le phlox. Oui, le jardin de Martine est vraiment un jardin merveilleux.

– Bravo ! a dit le papa de Martine, vous avez bien travaillé. Voilà votre récompense.
Et savez-vous ce qu'il a donné à Martine et à son frère Jean ? Une jolie tortue qui s'appelle…
– Au fait, comment va-t-on l'appeler ?
– Nous l'appellerons Grisette, dit Martine. Et quand elle sera grande, elle pourra se promener partout avec nous dans le jardin.

http://www.casterman.com

Imprimé en Italie. Dépôt légal : 3e trimestre 1970; D. 1985/0053/197.
Déposé au ministère de la Justice, Paris (loi n° 49.956 du 16 juillet 1949 sur les publications destinées à la jeunesse).
ISBN 2-203-10120-2 ISSN 0750-0580